Tric Toc!

Straeon Sali Mali

Tric Toc!

Addasiad Gwen Angharad Jones
yn seiliedig ar sgript wreiddiol Meinir Lynch

Lluniau Cynyrchiadau Siriol

CYMDEITHAS LYFRAU CEREDIGION Gyf

Roedd hi'n wyth o'r gloch y bore. Amser brecwast!

Roedd Jac Do wrth ei fodd pan oedd hi'n amser bwyd. A dweud y gwir, roedd Jac Do yn dipyn o folgi!

LLEMP! Llowciodd yr uwd gan ei dasgu dros bob man.

CRENSH! Cnodd ddarn o dost yn swnllyd – ac yna cymerodd ddarn arall!

'Craw-awc.' Roedd Jac Do ar ben ei ddigon.

Ar ôl brecwast aeth Jac Do allan i chwarae pêl. Ond doedd o ddim yn cael llawer o hwyl ar y gêm.

Er bod y bêl yn mynd BOING! BOING! roedd ei fol yn mynd BRR-L-L-L-MMM! BRR-L-L-L-MMM! Roedd arno eisiau bwyd eto. A dyna pryd y cafodd Jac Do syniad.

Roedd Sali Mali wrthi'n mopio llawr y gegin, felly welodd hi mo Jac Do yn hedfan heibio.

Yn ddistaw bach, aeth yr aderyn direidus at y cloc ar y wal a throi'r bys mawr rownd a rownd . . . nes ei bod hi'n hanner dydd.

'Bobol bach!' meddai Sali Mali pan welodd hi faint o'r gloch oedd hi. 'Deuddeg o'r gloch! Amser cinio'n barod? Alla i ddim credu bod y bore wedi diflannu mor sydyn!' Ond aeth ati i osod y bwrdd.

Roedd tric Jac Do wedi gweithio!

'Cr-he-he-wc!' meddai'n hapus, a'i big yn llawn o fwyd.

'Dyna od,' meddai Sali Mali, 'does fawr o chwant cinio arna i heddiw.'

Ond daliodd Jac Do i fwyta a bwyta nes bod y bwyd i gyd wedi diflannu.

Ond wyddoch chi beth? Doedd y bolgi barus dal ddim yn llawn!

Felly penderfynodd Jac Do chwarae'r un tric unwaith eto.

Tra oedd Sali Mali'n golchi'r llestri, hedfanodd Jac Do heibio iddi, draw at y cloc, a throi'r bys mawr rownd a rownd . . .

'Brensiach!' meddai Sali Mali. 'Tri o'r gloch! Amser te yn barod?'

'Cr-aw-awc!' meddai Jac Do, a oedd yn eistedd wrth y bwrdd – yn disgwyl bwyd!

'Hmm . . .' meddai Sali Mali'n ddistaw. Roedd hi'n dechrau amau bod rhywbeth o'i le.

'Jac Do,' galwodd, 'dwi'n picio i'r siop.
Dau funud fydda i. Bydd di'n aderyn da!'
  'Crawc,' meddai Jac Do, gan feddwl tybed
beth oedd Sali Mali am ei brynu i de.
  Ac i ffwrdd â Sali Mali.

Toc, daeth Sali Mali adref. 'Jac Do-o!' galwodd. 'Tyrd i weld beth ges i yn y siop.'

'Crawc-awc?' holodd Jac Do, gan ddisgwyl gweld teisen yn y fasged.

Ond nid teisen oedd gan Sali Mali. Cloc oedd ganddi. Cloc newydd sbon.

'Cr-o-wc?' meddai Jac Do'n syn.

'Roedd rhywbeth yn bod ar yr hen gloc
'na,' meddai Sali Mali, 'felly roedd hi'n *amser*
i ni gael un newydd! Ha! Ha!'

Tynnodd Sali Mali'r hen gloc i lawr oddi
ar y wal a gosod yr un newydd yn ei le.

Ond bwyd, nid cloc, oedd ar Jac Do ei eisiau. Felly pan drodd Sali Mali ei chefn, dyma fo'n chwarae'r un tric eto fyth.

Hedfanodd Jac Do draw at y cloc newydd a throi'r bys mawr rownd a rownd nes cyrraedd tri o'r gloch. Amser te . . .

'Cr-he-he-wc,' chwarddodd yr aderyn direidus.

Ond yn sydyn sbonciodd rhywbeth allan o'r cloc – yn syth i wyneb Jac Do!

'CRAAAWWC!' sgrechiodd, gan syrthio i'r llawr mewn braw.

'Cw-cw! Cw-cw! Cw-cw!' meddai'r cloc.

Cloc cwcw oedd y cloc newydd!

'Jac Do druan,' meddai Sali Mali gan ei godi i'w breichiau. 'Ro'n i'n *amau* dy fod ti wedi chwarae tric arna i.'

'Cr-o-wwwc!' meddai Jac Do'n swil.

'Ond dyna ti wedi dysgu dy wers. Wnei di ddim busnesa efo'r cloc eto, na wnei?'

'O, cr-a-wc!' atebodd Jac Do'n bendant.

'Felly,' meddai Sali Mali, 'rhaid i ni ofalu na fyddi di'n llwglyd eto. Beth am fynd allan i'r ardd i gasglu ffrwythau?'

'Cra-awc!' cytunodd Jac Do.

Estynnodd Sali Mali ei basged, a threuliodd y ddau brynhawn hapus gyda'i gilydd yn casglu afalau, mwyar duon ac eirin.

Yn ei wely y noson honno, roedd Jac Do'n meddwl am yr holl ffrwythau hyfryd a fwytaodd yn ystod y dydd.

'Nos da, y bolgi bach,' meddai Sali Mali.

'Cra-awc,' meddai Jac Do'n fodlon. Yna dechreuodd feddwl am yr holl ffrwythau y byddai'n eu bwyta y diwrnod wedyn hefyd!

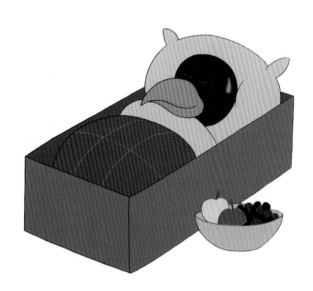

Cyhoeddwyd gan Gymdeithas Lyfrau Ceredigion Gyf.,
Ystafell B5, Y Coleg Diwinyddol Unedig, Stryd y Brenin,
Aberystwyth, Ceredigion SY23 2LT.
Argraffiad cyntaf: Mai 2003
Hawlfraint y cyhoeddiad © Cymdeithas Lyfrau Ceredigion Gyf. 2003

Addasiad Gwen Angharad Jones
yn seiliedig ar sgript wreiddiol Meinir Lynch
a ysgrifennwyd ar gyfer Cynyrchiadau Siriol ac S4C.
Cymeriad a grëwyd gan
Mary Vaughan Jones yw Sali Mali.

ISBN 1-902416-89-9

Diolch i adrannau Cyngor Llyfrau Cymru am bob cymorth.
Dyluniad y cloriau gan Adran Ddylunio Cyngor Llyfrau Cymru.
Argraffwyd gan Wasg Gomer, Llandysul SA44 4QL.